Juliette, la fée des paillettes

Du même auteur,
dans la même collection :

1. Garance, la fée rouge
2. Clémentine, la fée orange
3. Ambre, la fée jaune
4. Fougère, la fée verte
5. Marine, la fée bleue
6. Violine, la fée indigo
7. Lilas, la fée mauve

Clémence, la fée des vacances
Gaëlle, la fée de Noël

1. Margaux, la fée des gâteaux
2. Angélique, la fée de la musique
4. Manon, la fée des bonbons
5. Anaïs, la fée des jeux
6. Prune, la fée des costumes
7. Élise, la fée des surprises

Vous aimez les livres de la série

Écrivez-nous pour nous faire partager
votre enthousiasme :

Pocket Jeunesse - 12 avenue d'Italie - 75013 Paris

Daisy Meadows

Traduit de l'anglais par Christine Bouchareine

Illustré par Georgie Ripper

Titre original :
Rainbow Magic
The Party Fairies - Grace the Glitter Fairy

Publié pour la première fois en 2004
par Orchard Books, Londres.

Loi n° 49-956 du 16 juillet 1949 sur les publications
destinées à la jeunesse : février 2007.

La série « L'Arc-en-Ciel magique » a été créée
par Working Partners Limited, Londres.

ISBN 978-2-266-16778-9

À Ellie Delamere qui aime les fées.

Avec des remerciements
tout particuliers
à Narinder Dhami.

Le château
du pays des Fées
La clairière
La place
du village
Rue
Tournicote
Le village de Martimpré

Le château
du bonhomme Hiver
Bois Joli
Le magasin
de bonbons
La maison
de Betty
La maison d'Olivia
La maison
de Jamie Cooper

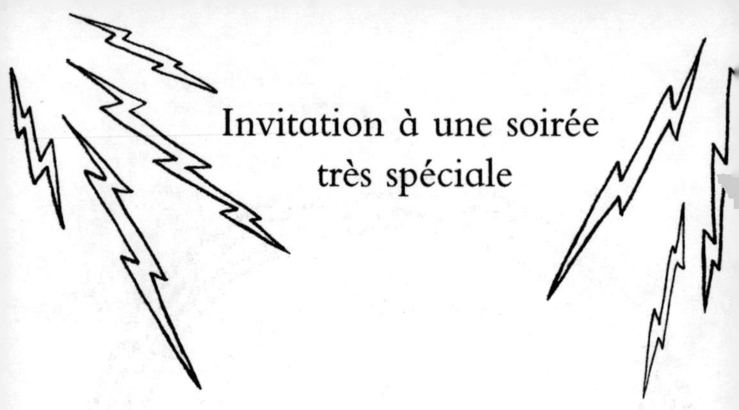

Invitation à une soirée très spéciale

Que soient bénis notre gentil roi et notre gracieuse reine
Qui depuis mille ans si bien nous gouvernent !

Pour célébrer ces dix siècles de félicité
Nous avons décidé d'organiser
De splendides festivités
Pour nos souverains aimés

Afin que la surprise soit totale
Et digne de Nos Altesses Royales
Faites briller vos baguettes et mettez vos plus beaux atours
Car vous êtes invitées à la cour

RSVP : Son Altesse Royale la Bonne Fée

Encore une fête en perspective

– Quelle belle journée ! s'extasia Betty en admirant le grand ciel bleu. Je suis si contente que tu passes la semaine chez moi, Rachel !

Betty, assise dans l'herbe, tressait une guirlande de pâquerettes à sa meilleure amie Rachel. Perle, sa petite chatte noir et blanc, ronronnait,

couchée en plein soleil au milieu de l'allée.

– Tu sais quoi ? continua-t-elle en cueillant une nouvelle fleur. C'est une journée idéale pour…

– … faire la fête ! finit Rachel à sa place.

Le visage de Betty se rembrunit.

– Espérons que les affreux gnomes du bonhomme Hiver ne se manifesteront pas aujourd'hui !

– Sois tranquille ! Les fées de la fête les tiennent à l'œil. Et nous aussi.

Les fillettes partageaient en effet un grand secret. Elles étaient devenues très amies avec les fées depuis qu'elles avaient permis aux fées de l'Arc-en-Ciel et à celles du Temps d'échapper aux mauvais sorts du bonhomme Hiver. Et maintenant c'étaient les fées de la fête qui leur avaient demandé leur aide.

– Le bonhomme Hiver n'a qu'une idée : gâcher le plaisir des autres. Même banni dans son château de glace, il continue à semer la pagaille.

– S'il n'avait pas été si méchant, répondit Betty, il aurait été invité aux festivités que la Bonne Fée organise

pour les mille ans de l'anniversaire du règne du roi et de la reine des Fées.

Betty et Rachel y étaient conviées. Hélas, le bonhomme Hiver avait décidé de donner une réception encore plus grandiose, de son côté, pour se venger. Comme il était privé de ses pouvoirs magiques, il avait chargé ses gnomes de voler les bourses de paillettes enchantées des fées de la fête. Et ces derniers n'avaient rien trouvé de mieux que de perturber les fêtes pour attirer les fées.

– Nous avons déjà réussi à sauver les paillettes de Margaux, la fée des gâteaux, et d'Angélique, la fée de la musique, continua Betty en ajoutant une pâquerette à sa guirlande. Nous devons ouvrir l'œil.

– Et l'oreille aussi, renchérit Rachel.

– Ouille ! Ça fait mal ! cria au même moment une voix, de l'autre côté de la haie.

Rachel lança un regard affolé à Betty.

– Qui c'est ? Tu crois que c'est un gnome ?

Betty éclata de rire.

– Non, ne t'inquiète pas. C'est mon voisin, M. Cooper.

Ce dernier passa alors la tête au-dessus de la haie.

– Pardon, Betty. Je t'ai fait peur ? demanda-t-il avec un grand sourire. Je me suis piqué le doigt sur le rosier.

Il souleva un petit paquet enveloppé dans du papier bleu métallisé.

– Je cache des cadeaux dans le jardin pour la chasse au trésor de cet après-midi.

– Une chasse au trésor ? répéta Rachel.

– Oui, nous fêtons l'anniversaire de mon fils Jamie. Il a cinq ans aujourd'hui.

Un anniversaire ! Rachel et Betty se regardèrent.

– Nous avons invité une dizaine d'enfants, continua M. Cooper. Et nous avons engagé un clown, M. Jovial. Jamie est fou de joie. Mais nous allons avoir du travail, ajouta M. Cooper en se grattant la tête.

Rachel donna un coup de coude à Betty.

– Nous pouvons venir vous aider, Rachel et moi, si vous voulez, proposa aussitôt Betty.

– Oui, ça nous ferait très plaisir, lança Rachel.

Le visage de M. Cooper s'éclaira.

– C'est gentil de votre part. Jamie sera ravi. Les invités doivent arriver à trois heures. Vous pourriez venir une heure avant ?

– Bien sûr ! répondirent les deux amies en chœur.

M. Cooper leur adressa un sourire reconnaissant et repartit cacher ses cadeaux.

Betty se tourna vers Rachel, les yeux brillants.

– Tu crois qu'un gnome viendra gâcher la fête de Jamie ?

– Eh bien, si c'est le cas, nous ne le laisserons pas faire !

Problèmes de décoration

– Je sens qu'on va bien s'amuser, se réjouit Betty tout en sonnant chez les Cooper. Jamie est adorable. Bien qu'avec ses amis, ils risquent de faire un sacré chahut…

– Peut-être que ça effraiera les gnomes ! gloussa Rachel.

La porte s'ouvrit et un petit garçon au sourire aussi chaleureux que celui de M. Cooper apparut sur le seuil.

– Salut, Betty. C'est vrai que tu viens nous aider avec ton amie ?

– Oui. Bon anniversaire ! ajouta-t-elle en lui tendant un paquet.

Jamie déchira le papier et rougit de plaisir en découvrant une belle voiture bleue.

– Merci !

Il prit Betty par la main.

– Venez. On finit la décoration du salon avec maman.

Mme Cooper, debout sur une chaise, accrochait une banderole indiquant « Joyeux anniversaire » sur le mur.

Elle se retourna vers les deux filles.

– Bonjour, Betty ! Et toi, c'est Rachel, n'est-ce pas ? C'est vraiment gentil de nous donner un coup de main.

– Maman, regarde ce que Rachel et Betty m'ont offert ! s'écria Jamie en brandissant sa voiture. Oh, s'il te plaît, on peut accrocher les guirlandes maintenant ?

Mme Cooper éclata de rire.

– La fête ne commence que dans une heure et il est déjà tout excité. Dites-moi, les filles, vous pouvez vous occuper des guirlandes et des ballons, pendant que j'aide mon mari à finir de préparer le buffet ?

– Bien sûr ! répondit Rachel.

Mme Cooper les remercia et se précipita à la cuisine.

Jamie prit le carton de décorations sur le canapé.

– Papa a acheté des guirlandes super-longues, annonça-t-il fièrement. Elles sont or et argent, regardez !

Il déroula la première. Une bande de cinquante centimètres à peine se détacha et tomba par terre.

– Oh ! s'exclama le petit garçon, très déçu.

– Je suis sûre que le reste va aller, s'empressa de le rassurer Betty. Continue.

Rachel prit une autre guirlande : elle se trouvait dans le même état, ainsi que tout le lot.

Betty se pencha vers Rachel.

– Tu crois que c'est encore un coup des gnomes ?

Rachel hocha la tête d'un air consterné.

Jamie était au bord des larmes.

– Elles sont beaucoup trop petites, gémit-il.

Betty le serra dans ses bras.

– Ne t'inquiète pas, j'ai ce qu'il faut pour arranger ça. Je reviens tout de suite.

Elle courut chez elle chercher un gros rouleau de ruban adhésif bleu métallisé qui lui restait de Noël. Puis

elle entreprit de coller les bandes entre elles.

– Regarde, Jamie. Maintenant tu as des guirlandes or, argent et bleues.

– Elles sont encore plus jolies comme ça ! déclara-t-il, sa bonne humeur retrouvée.

À eux trois, ils eurent vite recollé le reste des guirlandes. Rachel et Betty les suspendirent ensuite aux murs. À peine avaient-elles terminé que le carillon de la porte retentit.

– C'est M. Jovial! cria Mme Cooper du fond de la cuisine. Tu peux lui ouvrir, s'il te plaît, Betty?

– Trop tard! Jamie m'a battue de vitesse, gloussa-t-elle tandis que le petit garçon se ruait vers l'entrée.

Les deux filles l'accompagnèrent et virent entrer un clown vêtu d'un costume et d'un chapeau melon. Il se pencha vers le petit garçon avec un grand sourire.

– C’est toi qui fêtes ton anniversaire ?

– Où est votre nez rouge ? Et où sont vos grosses chaussures de clown ? rétorqua Jamie.

– Eh bien, je les ai enlevés pour conduire, mais je vais vite aller les remettre !

Le petit garçon courut raconter tout cela à sa mère.

M. Jovial se tourna vers Rachel et Betty.

– Je peux déposer mes affaires dans le salon ?

Betty hocha la tête.

– Nous avons presque terminé la décoration. Il ne nous reste plus qu’à gonfler les ballons.

Le clown ouvrit l'arrière de sa camionnette et commença à décharger ses accessoires pendant que les filles repartaient vers le salon. Elles s'arrêtèrent net sur le seuil, horrifiées. Les guirlandes qu'elles avaient si soigneusement recollées gisaient au milieu de la pièce.

– Cette fois, je suis sûre qu'un gnome rôde dans le coin ! grommela Rachel.

Betty prit son rouleau de scotch.

– Vite, recollons-les avant que Jamie ne s'en aperçoive.

Quand Jamie revint en sautillant, tout était rentré dans l'ordre.

– Il est temps de gonfler les ballons, Jamie, annonça Betty en ouvrant un paquet. Par quelle couleur veux-tu commencer ?

– Dorée ! répondit-il gaiement.

Mais Betty avait beau souffler de toutes ses forces, le ballon restait plat comme une crêpe.

Rachel l'examina.

– Il est troué !

Les deux filles échangèrent un regard entendu.

– C'est encore le gnome ! murmura Betty.

Vite, les deux filles examinèrent les autres ballons. Ils étaient tous percés !

– T… tous les ballons sont fichus ? bredouilla Jamie, sur le point de pleurer.

– Vous avez besoin de ballons ? s'exclama M. Jovial qui rentrait au

même moment dans la pièce. J'en ai des tas.

Il plongea la main dans sa poche et en tira une pleine poignée, de toutes les couleurs.

Au grand soulagement de Rachel et de Betty, Jamie retrouva aussitôt le sourire. Ils se dépêchèrent de gonfler les ballons et les accrochèrent autour de la porte-fenêtre.

La sonnerie de la porte retentit une nouvelle fois.

Jamie colla son nez contre la vitre.

– C'est Mathieu, mon meilleur ami ! Et il y a aussi Pauline, Théo et Ben ! La fête va enfin commencer ! hurla-t-il avant de foncer accueillir ses invités.

M. Jovial attrapa sa mallette et courut vers la salle de bains.

– Mon Dieu ! Il est temps que j'aille me maquiller !

PAN ! PAN ! PAN !

Betty et Rachel se retournèrent d'un bond. Les ballons qu'ils venaient de gonfler explosaient les uns après les autres.

– Ce gnome commence vraiment à me casser les pieds ! pesta Rachel.

– À moi aussi, opina Betty. Il faut vite le retrouver, qu'on mette fin à cette mauvaise plaisanterie !

La sonnette n'arrêtait pas de retentir. Les invités arrivaient et parlaient avec animation dans l'entrée.

Elles entendirent alors M. Cooper déclarer :

– Venez dans le jardin ! La chasse au trésor va commencer !

Les enfants poussèrent des cris de joie.

Les fillettes, soulagées, passèrent à l'action.

– Fouillons cette pièce, suggéra Betty. Avec un peu de chance, nous aurons le temps de régler ce problème pendant que tout le monde est dehors.

Rachel l'attrapa soudain par le bras.

– Qu'y a-t-il ? chuchota Betty.

Rachel tendit le doigt vers la fenêtre.

– Regarde dans le jardin !

Betty plissa les yeux.

Une minuscule silhouette étincelante voletait sous les arbres.

– Oh ! C'est Juliette, la fée des paillettes !

– Oui. Les enfants vont la voir ! Il faut la prévenir !

– Et le gnome ? demanda Rachel.

– Tant pis !

Elles ouvrirent la porte-fenêtre à toute volée et sortirent sur la terrasse en agitant les bras pour attirer l'attention de Juliette.

La petite fée les aperçut tout de suite et fonça vers elles. Ses longs

cheveux blonds soyeux voletaient au vent et sa robe rose scintillait sous le soleil.

– Salut, les filles ! Je suis ravie de vous voir…

– Cache-toi vite, Juliette ! cria Betty sans même lui dire bonjour. Les invités vont sortir d'une seconde à l'autre !

Elle n'avait pas achevé sa phrase que les enfants arrivaient en courant dans le jardin. Juliette, affolée, se cacha en toute hâte dans un pot de fleurs.

Les enfants s'agitaient dans tous les sens en criant d'excitation. Deux petites filles se mirent à chercher juste à côté de sa cachette.

Rachel intervint aussitôt.

– Heu… je crois que M. Cooper a caché beaucoup de cadeaux au fond du jardin.

L'une des petites filles disparut aussitôt mais l'autre regarda Rachel, les sourcils froncés.

– Y a quelque chose qui brille là-derrière, déclara-t-elle d'un air têtu, le doigt tendu vers le pot. Je suis sûre que c'est un cadeau.

Betty se pencha, ramassa Juliette en la cachant au creux de sa main et la glissa dans sa poche.

– C'était juste un papier de bonbon !

– Nous allons le mettre à la poubelle, ajouta Rachel.

La petite fille, déçue, courut rejoindre son amie.

Rachel et Betty avaient encore frôlé la catastrophe.

– C'est moi que tu veux mettre à la poubelle ? s'exclama Juliette en riant. Je te remercie !

– Désolée, Juliette. Je n'avais pas le choix.

– Il y a un gnome dans cette maison. Et il s'acharne sur les décorations, dit alors Rachel.

– Quoi ! Mais il faut l'arrêter tout de suite ! Où est-il ?

– On ne sait pas, avoua Betty. Nous nous mettions à peine à le chercher quand nous t'avons aperçue.

– Si je comprends bien, j'arrive à temps, dit Juliette avec un grand sourire. Par où commence-t-on ?

– Suivez-moi, dit Betty en se dirigeant vers le salon.

Puis elle étouffa un cri et saisit le bras de Rachel.

– Regardez ! Sous le rideau !

Rachel et Juliette scrutèrent le grand tissu qui encadrait la porte-fenêtre : on distinguait nettement derrière l'étoffe la silhouette d'un gnome !

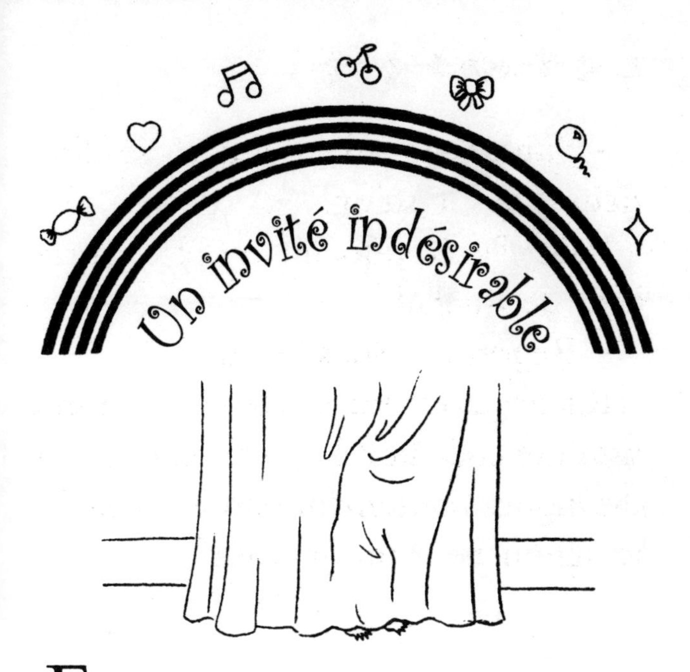

Et on le voyait trépigner ! Visiblement, il s'impatientait.

– Il faut agir sans tarder, chuchota Betty. Avant le retour des enfants.

– Que veux-tu faire ? demanda Juliette en se mordillant la lèvre.

Les trois amies se creusèrent les méninges.

– Si on s'approchait sans faire de bruit, on pourrait le coincer dans le rideau, suggéra Rachel. Ça ne devrait pas être trop difficile. Il est petit.

En temps normal, le bonhomme Hiver rendait ses gnomes beaucoup plus grands et plus effrayants avant de les envoyer dans le monde des humains. Mais comme le roi et la reine des Fées l'avaient privé de ses pouvoirs pour un an, les gnomes gardaient leur taille normale.

– Et ensuite, continua Rachel, Juliette n'aurait plus qu'à l'envoyer au pays des Fées d'un coup de baguette magique.

Juliette opina avec enthousiasme.

Rachel semblait plus réservée.

– Et s'il abîme le rideau en se débattant ?

– Regarde le tissu. Il est très épais. Je ne crois pas qu'il y ait de risque.

– Et je pourrai toujours l'emporter au pays des Fées pour le réparer, ajouta Juliette.

– Alors d'accord. On y va.

Les deux filles s'approchèrent de la porte-fenêtre sur la pointe des pieds.

Juliette voletait à leur suite. Elles allaient sauter sur le gnome lorsque la porte du salon s'ouvrit sur Mme Cooper qui entra, chargée d'assiettes de petits-fours.

Vive comme l'éclair, Juliette plongea dans la poche de Betty.

– Ah, vous êtes là, les filles! dit la mère de Jamie. Vous pourriez m'aider à mettre la table?

Rachel et Betty échangèrent un regard angoissé.

– Bien sûr, répondit poliment Betty.

– Dès que les enfants auront fini leur course au trésor, nous les amènerons ici pour qu'ils assistent au spectacle de M. Jovial. Et après nous mangerons le gâteau, continua Mme Cooper en les entraînant à la cuisine.

Les filles acquiescèrent, saisirent les plats que la mère de Jamie leur tendait et repartirent aussitôt traquer le gnome. Hélas, elles arrivaient trop tard !

– Oh, non ! gémit Rachel en contemplant le salon à nouveau jonché de rubans de guirlandes.

Il avait encore arraché les décorations ! En plus, il n'était plus caché derrière le rideau !

– Je peux déjà réparer les dégâts, dit Juliette qui avait jailli de la poche de Betty, sa bourse de paillettes magiques à la main.

Betty l'arrêta d'un geste.

– Surtout pas, fit-elle à voix basse. Le gnome n'attend que ça pour t'arracher ton sac !

Elles entendirent un grattement derrière le canapé !

– Il est juste là, chuchota Rachel, tout excitée. Il nous a entendues parler de la bourse de Juliette.

– Justement ! murmura Betty. Si nous nous en servions pour lui tendre un piège ?

– J'ai une idée, ajouta Rachel.

Elle montra du doigt la nappe que Mme Cooper avait achetée pour l'anniversaire.

– Ça sera encore plus efficace que le rideau pour l'attraper. Ensuite Juliette pourra l'envoyer au pays des Fées.

– Nous allons le prendre la main dans le sac! acquiesça la petite fée avec un clin d'œil.

Elle s'avança au milieu de la pièce et continua à voix haute:

– Que ma bourse de paillettes magiques est lourde, les filles! Je l'ai encore trop remplie.

– Tu n'as qu'à la poser sur la table basse, répondit Rachel.

– Et ensuite tu dois venir avec nous à la cuisine pour voir le gâteau d'anniversaire de Jamie, ajouta Betty en prenant la nappe dorée.

– J'arrive !

Juliette sortit la bourse de sa poche et la posa avec précaution sur la table.

– Allons-y !

Mais au lieu de quitter le salon, elles allèrent à pas de loup se cacher derrière le fauteuil.

– Attention, Rachel ! Tes pieds dépassent ! chuchota Juliette. Attends une seconde.

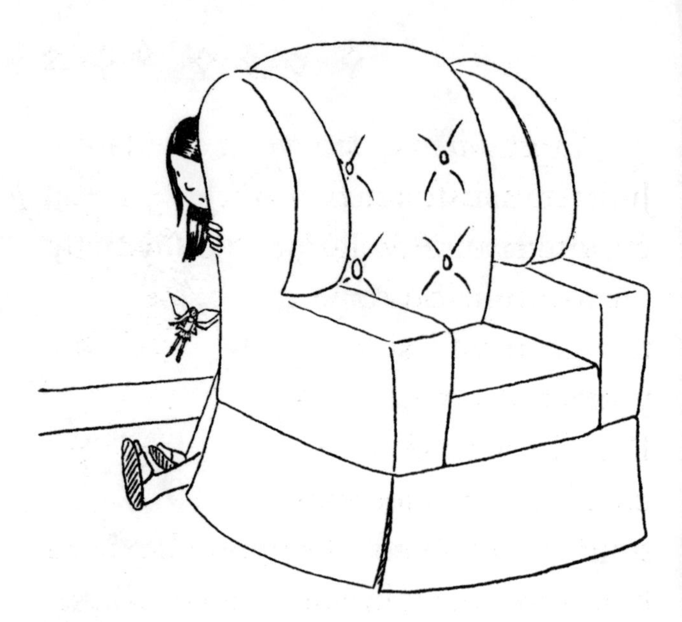

Elle agita sa baguette et en l'espace d'un éclair Rachel et Betty se retrouvèrent de la taille de la petite fée, avec des ailes dans le dos. Elles n'avaient plus aucun mal à se dissimuler derrière le fauteuil.

– C'est mieux, dit Juliette, satisfaite. Il était temps : le voilà !

Le gnome passa la tête pour voir si la voie était libre. Puis il sortit de sa cachette, un méchant sourire aux lèvres. Il s'approcha de la bourse, les yeux brillants de convoitise.

– Le bonhomme Hiver sera vraiment content de moi, gloussa-t-il.

Mais au moment où il posait la main sur la bourse, les trois amies surgirent de leur abri, chacune tenant un coin de la nappe.

– Attrapons-le! cria Rachel.

Elles plongèrent sur lui et laissèrent tomber le tissu sur sa tête. Il poussa un cri de rage tandis que le piège se refermait sur lui.

– On a réussi! jubila Betty.

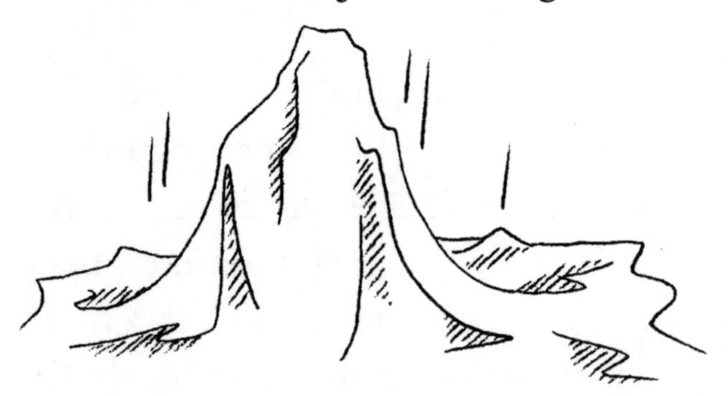

– Vite, attachons-le! dit Juliette.

Mais déjà le gnome réduisait la nappe en lambeaux!

Pieds et poings liés !

– Il va s'échapper ! s'écria Betty. Qu'est-ce qu'on fait ?

Rachel chercha désespérément des yeux quelque chose pour le ligoter et aperçut les guirlandes par terre. Elle en saisit une et l'enroula autour du gnome.

– Vite, Betty, lança Juliette. Attrape les autres.

Le gnome se démenait comme un diable.

– Lâchez-moi !

Peine perdue ! Deux minutes après, il ressemblait à une momie égyptienne.

– Ça t'apprendra ! jeta Rachel tandis que Juliette récupérait sa précieuse bourse.

Betty vola jusqu'à la fenêtre pour voir où en était la chasse au trésor.

– Bravo, les enfants ! Vous avez trouvé tous les cadeaux, disait M. Cooper. Maintenant l'heure est venue d'aller retrouver M. Jovial, le clown.

Betty avertit ses amies.

– Jamie arrive avec ses invités ! Tu ferais mieux de t'éclipser, Juliette.

– Mais je ne pars pas toute seule, gloussa la petite fée en se tournant vers le gnome qui continuait à fulminer.

Elle agita sa baguette magique et il disparut dans un nuage de paillettes enchantées.

Juliette serra ensuite les filles dans ses bras pour leur dire au revoir. Puis elle leur rendit leur taille normale.

Betty se souvint soudain des décorations.

– Juliette, tu pourrais les réparer avant de t'en aller ? demanda-t-elle en montrant les guirlandes déchirées et les ballons crevés.

Juliette ouvrit sa bourse et saupoudra le salon de milliers de minuscules diamants qui tourbillonnèrent jusque dans les moindres recoins de la pièce.

Quand la poudre magique se fut dissipée, Betty et Rachel poussèrent un cri de surprise. Les murs étaient décorés de guirlandes et de ballons scintillants aux couleurs de l'arc-en-ciel. Elles découvrirent même une nouvelle nappe en tissu doré, plus brillante que l'autre et parsemée d'étoiles d'argent, qui ornait la table.

– Oh, merci, Juliette !

La petite fée éclata d'un rire cristallin, agita sa baguette et disparut au moment même où les enfants accouraient dans la pièce. Ils poussèrent tous des cris d'admiration devant les fabuleuses décorations.

– Waouh! s'écria Jamie. Regarde ce que Betty et Rachel ont fait, papa!

– C'est fantastique, les filles! les félicita M. Cooper.

Rachel et Betty échangèrent un sourire ravi et s'assirent avec les invités pour regarder le spectacle de M. Jovial. Le clown était très drôle et fit rire tout le monde avec une énorme fleur qui crachait de l'eau. Les deux filles s'amusèrent autant que Jamie et ses amis.

À la fin du spectacle, M. Jovial leur annonça qu'il allait confectionner des

animaux avec des ballons. Les enfants poussèrent un cri d'émerveillement quand il sortit de son sac les ballons les plus étonnants qu'ils aient jamais vus. Quelques-uns étaient même rayés ou tachetés comme la fourrure de certains animaux.

M. Jovial parut aussi surpris que son public.

– Mais d'où sortent-ils ? murmura-t-il.

Rachel et Betty échangèrent un sourire complice. Elles seules savaient de qui venaient ces magnifiques ballons…

M. Jovial en gonfla plusieurs, puis les tordit les uns autour des autres. Il fit d'abord un éléphant qu'il donna à Jamie. Puis il réalisa une adorable girafe et un zèbre.

– Voilà pour les deux jeunes filles qui ont si magnifiquement décoré cette pièce, dit-il avec une profonde révérence avant de tendre la girafe à Rachel et le zèbre à Betty.

Les fillettes se montraient folles de joie. Elles n'étaient pas les seules… Jamie aussi jubilait!

– C'est mon plus bel anniversaire! s'écria-t-il tandis que le clown confectionnait des animaux pour les autres enfants.

– Quant à nous, nous avons sauvé une autre fée de la fête et son sac de paillettes, chuchota Rachel à Betty. Hip hip hip ! hourra !

Margaux, Angélique et Juliette
ont retrouvé
leurs précieuses bourses magiques.

À présent, Rachel et Betty
doivent aider

Manon, la fée des bonbons

Table des matières

Retrouve vite Rachel et Betty
avec un extrait de

Par un temps magnifique, M. et Mme Tate déjeunaient dans le jardin. Alors que Rachel et Betty se mettaient à table, Mme Tate laissa échapper un soupir exaspéré.

– Flûte ! En faisant les courses ce matin, j'ai oublié d'acheter des

caramels pour mamie ! Je lui avais promis que je lui en apporterais ce soir.

– Ne t'inquiète pas, maman, la rassura Betty. Nous irons chez Mme Nougatine après le déjeuner. Qu'en penses-tu, Rachel ?

– Chouette ! J'adore les magasins de bonbons !

Betty avait invité Rachel à passer une semaine de vacances chez elle. Depuis l'été de leur première rencontre à Magipluie, elles étaient devenues amies. Bizarrement, dès qu'elles se

trouvaient ensemble, il leur arrivait des aventures merveilleuses. Pour ne pas dire magiques !

– À propos, reprit M. Tate, j'ai lu dans le journal que Mme Nougatine part à la retraite. Comme c'est aujourd'hui sa dernière journée, elle organise une fête pour ses clients. Je crois qu'il y aura des bonbons à volonté, ajouta-t-il avec un clin d'œil.

Betty donna un coup de coude à Rachel.

– Tu te rends compte ! Une distribution de bonbons ! Une fête ! C'est génial !

– Super !

Elles partageaient un grand secret. Les fées de la fête, leurs amies, préparaient en cachette la célébration du millième anniversaire du règne de leur roi et de leur reine. Mais le méchant bonhomme Hiver avait décidé de donner une soirée encore plus réussie pour se venger de n'être pas invité. Il chargea donc ses gnomes de perturber les festivités des humains afin d'attirer les fées de la fête et de voler leurs bourses de paillettes magiques.

Betty et Rachel avaient déjà aidé plusieurs fées à déjouer leurs pièges,

mais leurs astuces n'avaient pas suffi à décourager le bonhomme Hiver. Loin de là !

Après le déjeuner, Mme Tate envoya les filles acheter les caramels. Quand elles arrivèrent dans la Grande Rue, des enfants s'attroupaient déjà devant le magasin de Mme Nougatine. En s'approchant, elles s'aperçurent avec stupeur qu'un petit garçon léchait sa sucette en faisant la grimace et qu'une petite fille pleurait.

Betty et Rachel entrèrent dans le magasin qui était tout pimpant avec ses jolis ballons accrochés au plafond et ses étagères ornées de guirlandes. Mme Nougatine se tenait derrière le comptoir ; Betty remarqua tout de suite qu'elle n'était pas aussi joyeuse que d'habitude.

– Bonjour, madame Nougatine, la salua-t-elle. Comment allez-vous ?

Mme Nougatine secoua tristement la tête.

– Mal ! J'espérais organiser une grande fête pour mon dernier jour, mais tous mes bonbons sont gâtés !

D'un air découragé, Mme Nougatine leur montra un bocal d'ananas confits. Les morceaux ne formaient plus qu'un gros bloc poisseux. Devant elle, les barres de chocolat s'étaient ramollies comme si elles avaient fondu au soleil. Et les sachets de poudre acidulée dégageaient une odeur si âcre qu'elle piquait la gorge.

Rachel donna un coup de coude à Betty et tendit le doigt vers les étagères.

– Regarde !

Dans un joli pot rose, des souris en pâte d'amande se cachaient les yeux comme si elles avaient peur. Les bébés en sucre, eux, levaient les mains en l'air, comme pris de panique. Et à la grande surprise de Betty, les serpents gélifiés se tortillaient dans tous les sens, on les entendait même siffler ! Elle

repoussa vite le bocal vers le fond de l'étagère, à l'abri des regards.

– C'est vraiment bizarre ! chuchota Rachel tandis que de petits claquements montaient d'un paquet de boules de chewing-gum.

Betty hocha la tête.

– Ça, c'est encore un mauvais coup des gnomes !

Mme Nougatine posa le bocal d'ananas confits et sortit un plateau de chocolats.

– Oh, non ! Il ne manquait plus que ça !

Rachel et Betty accoururent. À la place des chocolats s'étalait un mélange pâteux, avec une grosse marque au milieu. Rachel reconnut aussitôt l'empreinte d'un pied de gnome !

Betty scruta le sol.

– S'il a le pied plein de chocolat...

– ... il a dû laisser des traces, conclut Rachel.

En effet, des empreintes marron apparaissaient sur le carrelage. Les deux filles s'écartèrent du comptoir et les suivirent discrètement.

[...]

Découvre vite
les autres fées de la fête, dans
la collection

1. Margaux, la fée des gâteaux
2. Angélique, la fée de la musique
4. Manon, la fée des bonbons
5. Anaïs, la fée des jeux
6. Prune, la fée des costumes
7. Élise, la fée des surprises

Dans la même collection :

1. Garance, la fée rouge
2. Clémentine, la fée orange
3. Ambre, la fée jaune
4. Fougère, la fée verte
5. Marine, la fée bleue
6. Violine, la fée indigo
7. Lilas, la fée mauve

Clémence, la fée des vacances

Gaëlle, la fée de Noël

Composition : Francisco *Compo*
61290 Longny-au-Perche

Impression réalisée sur Presse Offset par

La Flèche (Sarthe), le 24-01-2007
N° d'impression : 38278

Dépôt légal : février 2007

Imprimé en France

POCKET
jeunesse

12, avenue d'Italie

75627 PARIS Cedex 13